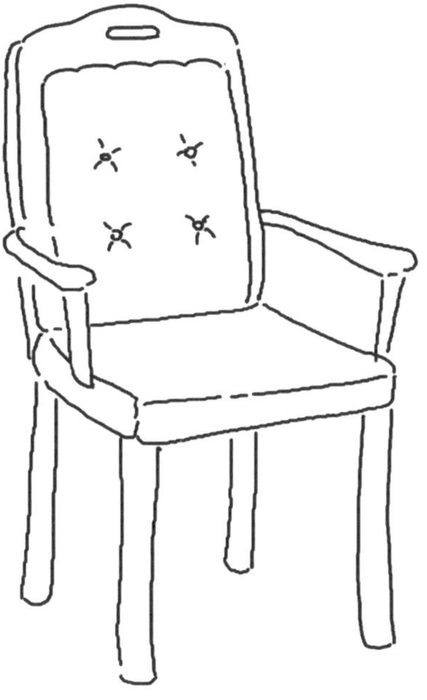

우리집 의자입니다.

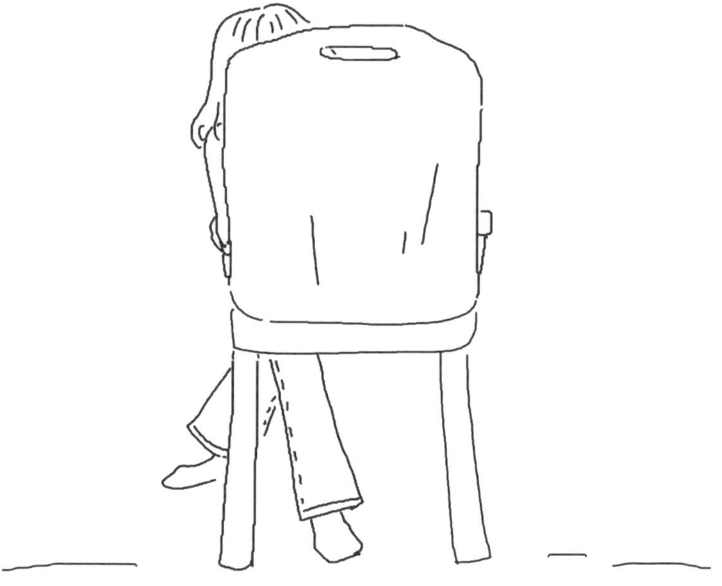

누가 앉아 있나요?

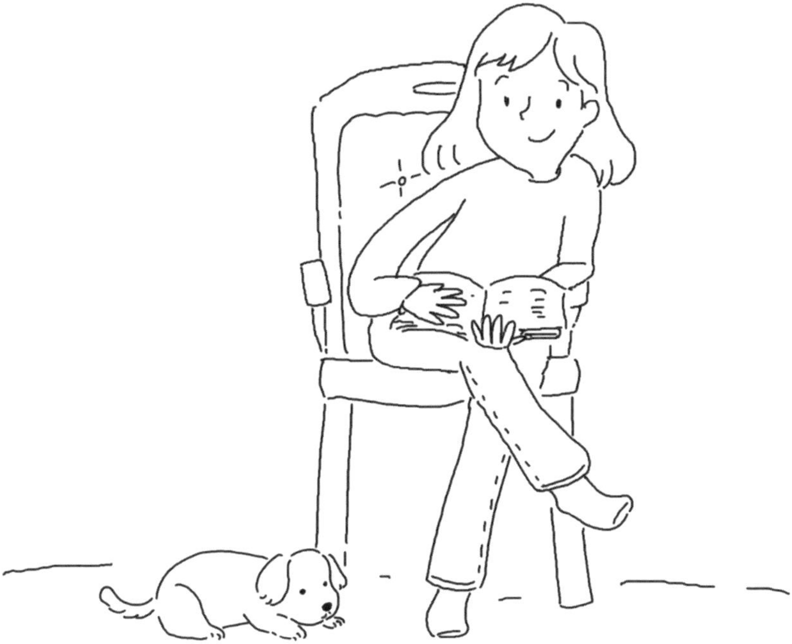

엄마

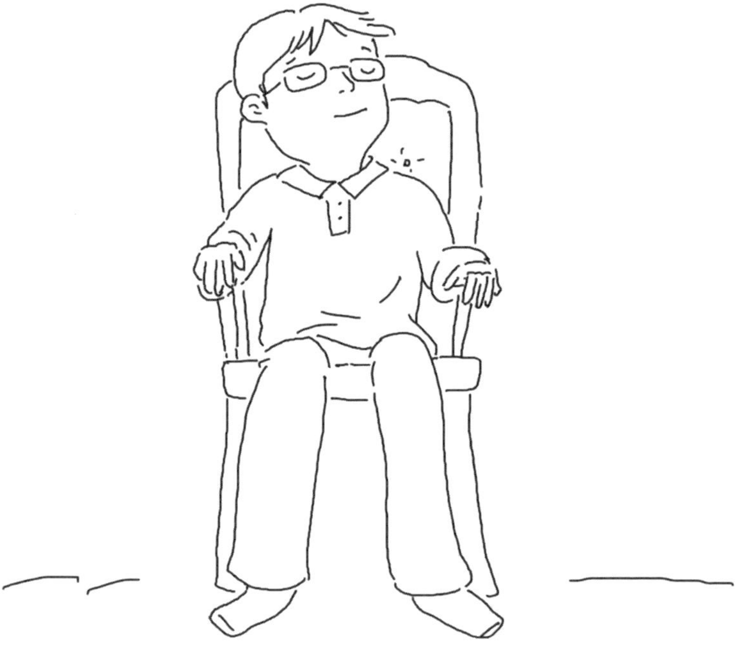

아빠

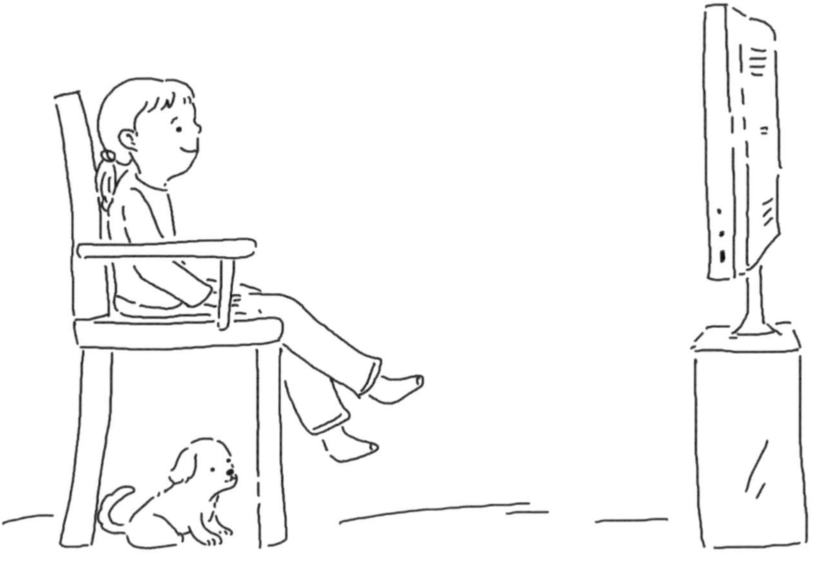

누나

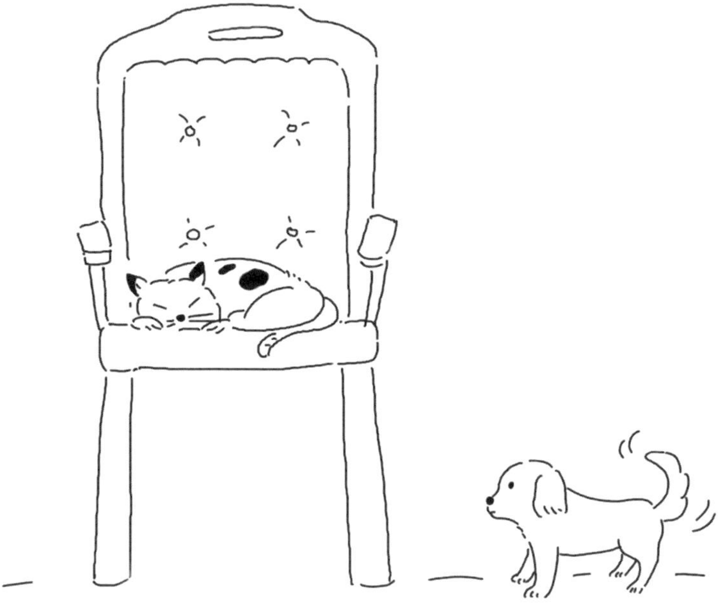

고양이

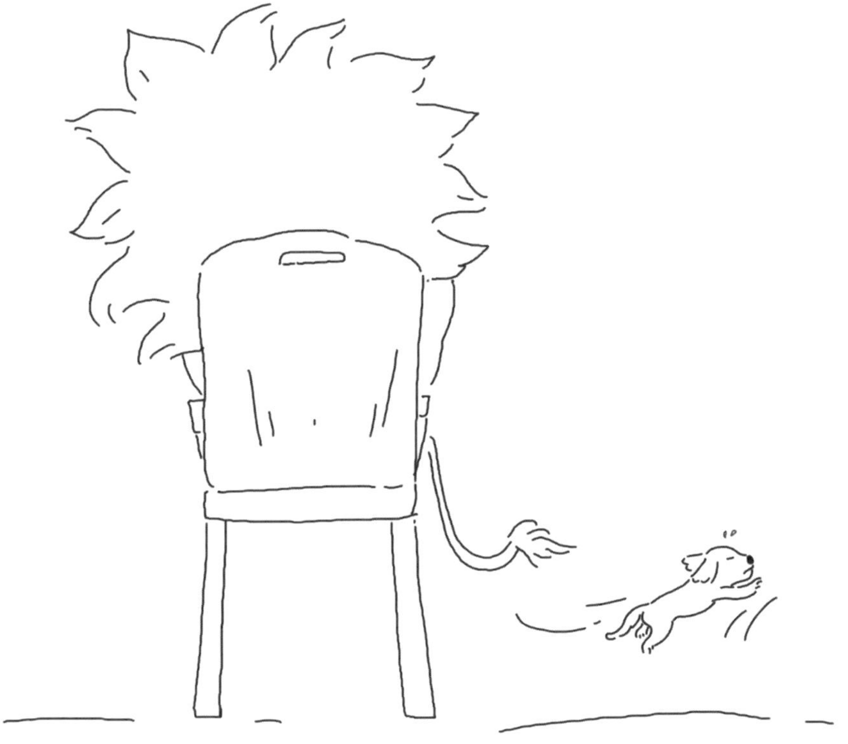

이건 누굴까요?

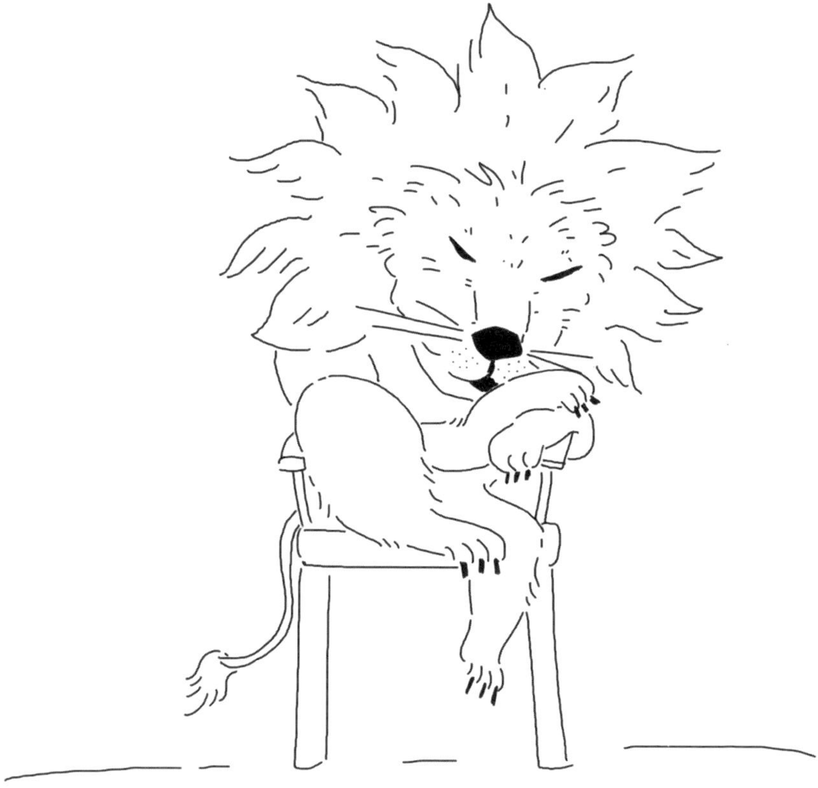

사자